这是我的书
It's MY BOOK
6级：300字

恐龙公园

作者：秦志宁（Zhining Chin）
配图：秦志宁（Zhining Chin）

U1002961

北京语言大学出版社
BEIJING LANGUAGE AND CULTURE UNIVERSITY PRESS

PHOENIX TREE
PHOENIX TREE PUBLISHING INC.

识读 河水 走 泥 山 排 尾巴

句型 这（就）是……

字数 326字

hěn jiǔ yǐ qián yóu tā zhōu de tiān kōng zhōng
很久以前，犹他州的天空中
piāo zhe duǒ duǒ bái yún cǎo dì shang liú zhe yì tiáo
飘着朵朵白云，草地上流着一条
dà hé yì tóu jù dà de mí huò lóng yán zhe hé
大河。一头巨大的迷惑龙沿着河
biān màn màn de zǒu zhe
边慢慢地走着。

tā yuè zǒu yuè màn zuì hòu hōng lōng yì
它越走越慢，最后，轰隆一
shēng dǎo zài le hé biān hé shuǐ shàng shēng bǎ tā
声倒在了河边。河水上升，把它
chōng dào le hé dǐ hé li de ní shā bǎ tā mái
冲到了河底，河里的泥沙把它埋
de yuè lái yuè shēn
得越来越深。
màn màn de zhè xiē
慢慢地，这些
ní shā dōu biàn chéng le
泥沙都变成了
shí tou
石头。

hòu lái zhè li de tǔ dì kāi shǐ shàng shēng
后来，这里的土地开始上升，
yóu píng dì biàn chéng le gāo shān dì xià de shí tou yě
由平地变成了高山，地下的石头也
gēn zhe shēng dào le dì miàn shang
跟着升到了地面上。

shàng gè shì jì gǔ shēng wù xué jiā dào gé
上个世纪，古生物学家道格
lā sī zhī dào hé zhè li hěn xiāng sì de dì fang chū
拉斯知道和这里很相似的地方出
xiàn guo kǒng lóng huà shí tā yào qīn zì lái kàn kan zhè
现过恐龙化石，他要亲自来看看这
li de shān shang shì fǒu yě yǒu kǒng lóng huà shí
里的山上是否也有恐龙化石。

yī jiǔ líng jiǔ nián bā yuè shí qī rì tā pá shang shān
1909年8月17日，他爬上山
dǐng kàn dào jiǎo xià de shí tou shang yǒu yì tiáo jù
顶，看到脚下的石头上有一条巨
dà de kǒng lóng wěi gǔ tā men zhěng zhěng qí qí de
大的恐龙尾骨，它们整整齐齐地
pái chéng yì pái zhè jiù shì nà tóu mí huò lóng de
排成一排。这就是那头迷惑龙的
wěi ba
尾巴。

hòu lái rén men zài zhè ge dì fang fā jué chū le
后来，人们在这个地方发掘出了
zuì wán zhěng de mí huò lóng huà shí hái fā xiàn le shàng qiān
最完整的迷惑龙化石，还发现了上千
kuài shí duō zhǒng qí tā kǒng lóng de huà shí yī jiǔ yī wǔ
块、十多种其他恐龙的化石。1915
nián hòu zhè li chéng le měi guó guó lì kǒng lóng gōng yuán
年后，这里成了美国国立恐龙公园。

dào gé lā sī xiān sheng fā xiàn de zhè
道格拉斯先生发现的这
tóu mí huò lóng shēn cháng èr shí duō mǐ tǐ
头迷惑龙，身长 20 多米，体
zhòng sān shí èr dūn xiàn zài nǐ kě yǐ dào
重 32 吨。现在，你可以到
měi guó de kǎ nèi jī bó wù guǎn qù kàn tā
美国的卡内基博物馆去看它。

1 很久以前，犹他州的天空中飘着朵朵白云，草地上流着一条大河。一头巨大的迷惑龙沿着河边慢慢地走着。

2 它越走越慢，最后，轰隆一声倒在了河边。河水上升，把它冲到了河底，河里的泥沙把它埋得越来越深。慢慢地，这些泥沙都变成了石头。

3 后来，这里的土地开始上升，由平地变成了高山，地下的石头也跟着升到了地面上。

4 上个世纪，古生物学家道格拉斯知道和这里很相似的地方出现过恐龙化石，他要亲自来看看这里的山上是否也有恐龙化石。

5 1909 年 8 月 17 日，他爬上山顶，看到脚下的石头上有一条巨大的恐龙尾骨，它们整整齐齐地排成一排。这就是那头迷惑龙的尾巴。”

6 后来，人们在这个地方发掘出了最完整的迷惑龙化石，还发现了上千块、十多种其他恐龙的化石。1915 年后，这里成了美国国立恐龙公园。

7 道格拉斯先生发现的这头迷惑龙，身长 20 多米，体重 32 吨。现在，你可以到美国的卡内基博物馆去看它。

1

2

3

4

5

6

看图讲故事

7